FRIDA ET KAHLO

Nous remercions le Conseil des Arts du Canada ainsi que la Société de développement des entreprises culturelles du Québec (SODEC) pour l'aide accordée à notre programme de publication. Nous reconnaissons l'aide financière du gouvernement du Canada par l'entremise du Programme d'aide au développement de l'industrie de l'édition (PADIE) pour nos activités d'édition.

Le Loup de Gouttière
347, rue Saint-Paul
Québec (Québec)
G1K 3X1
Téléphone : (418) 694-2224
Télécopieur : (418) 694-2225
Courriel : loupgout@videotron.ca

Dépôt légal, 2e trimestre 2000
Bibliothèque nationale du Québec
Bibliothèque nationale du Canada
ISBN 2-89529-013-X
Imprimé au Québec

Sylvie Nicolas

Frida et Kahlo

ROMAN

Illustrations Sylvie Nicolas

Les petits loups
Le Loup de Gouttière

Pour Frida Kahlo

À Andrée
qui n'a jamais cessé de rêver

LA MAISON DE FRIDA

Frida habite une grande maison. C'est une maison immense avec des planchers à perte de vue. Avec un escalier si haut, qu'il est difficile pour Frida de compter, sans se tromper, toutes les marches qui mènent au deuxième.

Là-haut, il y a un très long couloir. Avec de chaque côté, des portes qui donnent sur des chambres que Frida n'a pas toutes visitées. Au bout du couloir, il y a la chambre de ses parents. Il n'y a pas très longtemps, elle aussi avait sa chambre à l'étage près de celle de papa et maman. Ça, elle s'en souvient.

Mais depuis que Frida est rentrée de l'hôpital, elle ne dort plus dans sa chambre. C'est à cause de sa jambe qui refuse de plier. Depuis que sa jambe refuse de plier, Frida n'arrive pas à monter les marches sans se fatiguer. Et parce que Frida doit beaucoup se reposer, toute sa chambre a été déménagée au rez-de-chaussée. Dans une pièce plus petite. Avec de grandes portes vitrées qui donnent sur l'escalier.

Avant, Frida aimait courir partout et grimper le grand escalier en sautillant. Arrivée tout en haut, elle enfilait le long couloir en zigzaguant. Elle jouait à courir sans s'arrêter. À mettre la paume de sa main sur chacune des portes sans ralentir sa course. Puis elle s'arrêtait net devant la porte de la chambre de papa et maman. Elle frappait trois fois. Ouvrait la porte et disait :

– Regardez, je suis déjà tout éveillée !

Elle prenait son élan et sautait d'un seul coup sur le lit des parents. Ça faisait rire papa qui l'appelait son petit lièvre du désert andalou. Ça faisait sursauter maman qui ouvrait les yeux et disait en souriant :

– Mademoiselle Frida, ne savez-vous donc pas que les demoiselles ne doivent pas sauter avant d'avoir déjeuné ?

Ça, c'était la joie des petits matins. Une joie qui s'est envolée quand une fièvre est venue endormir tout le corps de Frida. Frida sait que papa et maman se sont beaucoup inquiétés. Elle sait qu'elle a dormi pendant un long moment loin d'eux. Loin de sa chambre. Loin de la grande maison. Dans un hôpital dont elle a oublié le nom. Dans une salle inconnue peuplée de petits lits blancs où reposaient d'autres enfants malades.

LES YEUX DE FRIDA

Un jour, la fièvre est partie comme elle était venue. Frida a ouvert ses grands yeux. Papa était là qui la regardait. Il a dit :

– Bonjour mon petit lièvre du désert andalou.

Maman était juste à côté. Et elle a souri en disant :

– Bonjour mademoiselle Frida.

Frida a ouvert les bras. Elle a voulu leur sauter au cou. Mais son corps trop fatigué ne s'est pas soulevé. Maman a alors posé ses longues mains de chaque côté du visage de Frida. Elle a déposé un baiser sur son front et elle a ajouté :

— Ne savez-vous donc pas mademoiselle Frida que les demoiselles doivent se reposer avant de sauter au cou de leurs parents ?

Frida aurait voulu parler. Raconter tout ce noir et tous ces couloirs qu'elle a vus dans sa tête. Toutes ces portes de chaque côté de ces couloirs qu'elle n'arrivait pas à toucher. Et aussi, le silence dans lequel couraient ses jambes sans s'arrêter. Mais ses lèvres n'ont pas bougé. Ses mains non plus. Seuls ses yeux sont restés ouverts.

– Plus noirs que jamais, a dit papa.

– Plus grands encore, a ajouté maman en parlant des yeux de Frida.

Ce jour-là, ce sont les yeux de Frida qui ont raconté le long sommeil. La fièvre. Et les jambes qui courent sans qu'on puisse les empêcher de courir. Ce sont ses yeux qui ont promis de continuer à monter des escaliers.

LES DESSINS DE FRIDA

Comme elle a passé de longs mois sans pouvoir beaucoup bouger, papa et maman ont eu l'idée de lui offrir des crayons, des craies et des cartables de pages blanches. Frida a alors commencé à dessiner.

Elle a dessiné des animaux étranges. De petits chiens occupés à jouer avec des balles de fil d'or. Des lunes. Des soleils. Des maisons. Des villages. Des pieds. Des jambes. Des poissons. Des visages. Beaucoup de visages avec de grands yeux noirs comme les siens.

Parfois, elle écrivait des mots sur les dessins. D'autres fois, elle n'écrivait que des mots : amour, lune, soleil, œil, rouge, ruisseau, rire, cou, vent. Et parfois aussi, elle écrivait : je suis.

Maman et papa trouvaient les dessins très beaux. Ils trouvaient aussi que Frida écrivait vraiment bien les mots amour, lune, soleil, œil, rouge,

ruisseau, rire, cou et vent. Frida trouvait que ce qu'elle écrivait le mieux était : je suis.

Depuis quelques jours, Frida a recommencé à marcher. Sa jambe ne veut toujours pas plier. Elle traîne un peu sur le côté. Papa dit que ça s'appelle claudiquer. C'est un mot qui refuse de plier. Frida a décidé que ce mot elle ne l'apprendrait pas. Que jamais elle ne l'écrirait sur les pages de son cartable à dessiner. Elle préfère continuer à écrire des mots qu'elle peut voir sautiller.

LE JOURNAL DE FRIDA

Au fil des jours et des semaines, Frida a continué à tracer de nouveaux mots et à dessiner de nouvelles images.

Maman appelle ça le journal de Frida. Papa, lui, dit que les pages de cartable sont des déserts blancs. Il dit aussi que les mots et les dessins sont des traces laissées par le passage de son petit lièvre andalou.

Frida répond chaque fois que ce sont ses yeux et ses mains qui courent sur le papier. Elle dit que les mots sont des escaliers. Que les dessins sont de petites empreintes pour tous les enfants qui veulent danser.

Le journal de Frida

LA PORTE DE FRIDA

Aujourd'hui, Frida n'a pas le goût de dessiner dans son cartable. Elle n'a pas le goût d'écrire de nouveaux mots même si, hier, elle a appris à écrire le mot liberté qu'elle trouve beau et qu'elle adore répéter.

Aujourd'hui, Frida s'ennuie. Elle tourne en rond dans sa chambre du rez-de-chaussée. Elle regarde un moment par la fenêtre. Le jardin a un air de tristesse. Avec ses fleurs fanées. Ses herbes immobiles. Avec, au-dessus de lui, un ciel qui semble prêt à pleurer. Et caché quelque part dans le monde, un soleil qui n'a pas daigné montrer le bout de son nez.

Frida s'éloigne de la fenêtre. Elle fait quelques pas. Elle s'assoit sur son lit. Elle fixe le plancher. Elle lève la tête. Les murs sont hauts. Elle se couche à demi et fixe le plafond. Le plafond de la chambre est bleu foncé. Avec des étoiles, des soleils et des lunes dessinées en jaune sur le bleu. Frida sourit. Ces étoiles, ces lunes et ces soleils sont bien jolis à regarder. Mais aujourd'hui, même les jolies choses n'arrivent pas à lui changer les idées.

Frida tourne la tête. Elle aperçoit Antonine, sa poupée. Antonine dort dans son berceau. Frida songe qu'elle la laissera peut-être dormir toujours parce qu'aujourd'hui, elle se sent trop seule pour bercer une poupée.

Elle se redresse. Allonge le bras. De la main, elle saisit la boîte à musique. Elle l'ouvre. Une douce mélodie se fait entendre. La ballerine se met à tourner. Puis tout s'arrête : la ballerine et la musique. Il ne reste plus qu'un son de ressort qui crache : schrach, schrach, schrach. Un son qui égratigne le silence.

Frida referme la boîte. Elle la dépose sur la table de chevet. Il faudra qu'elle dise à papa de réparer la musique. Mais pas maintenant. Non, pas maintenant. Il y a quelque chose d'autre qu'elle doit écouter. Et c'est difficile à entendre. C'est un son comme un pays lointain. Une voix murmurée. Mais de si loin. Qui vient de si loin.

Frida se lève, elle se dirige vers la grande porte vitrée. La porte qui donne sur l'escalier. Comme il serait agréable de pouvoir à nouveau ouvrir la porte, courir et filer dans l'escalier. Parcourir le corridor en zigzaguant. Toucher de la paume de la main chacune des portes au passage. Sauter sur le lit des parents et dire :

— Voici le petit lièvre andalou qui est tout éveillé.

Frida a maintenant la main sur la poignée de la porte. Quelque chose dans son cœur la fait hésiter. Elle reste immobile. Figée. Son visage tout entier posté devant un carreau de la grande porte vitrée.

Elle entend toujours cette voix murmurée. On dirait une voix d'enfant. De fillette. Une voix qui chantonne doucement.

Frida ouvre la bouche. Elle souffle
doucement sur le carreau. Son souffle
dépose une buée sur la vitre. Frida lève

la main. Son doigt se dresse. Du bout du doigt elle dessine une porte dans la buée. Frida ferme les yeux.

Dans sa tête, Frida voit la petite porte dessinée dans la buée. Elle tend la main et la porte de buée s'ouvre sur un monde insoupçonné.

Une grande joie traverse Frida. Un sentiment d'urgence monte dans tout son corps. Frida ouvre les yeux. Là devant elle, la porte de buée s'est ouverte sur un couloir. Ce n'est pas le couloir de la maison. C'est un couloir différent. Un couloir bordé de portes qui ne sont pas des portes. Ce sont des images géantes de Frida elle-même. Des images dessinées. De grandes images peintes. Avec des couleurs de sable, de terre et de soleil renversé. Des images où Frida n'est plus une petite fille, mais une grande dame vêtue de tissus magiques. Une dame avec des yeux noirs qui regardent loin. Peut-être aussi loin que le désert andalou. Mais Frida ne sait pas si ce désert existe vraiment.

Frida n'ose pas bouger dans ce couloir qu'elle ne connaît pas. La voix qu'elle entend se rapproche. Puis, là devant, à quelques pas seulement, une fillette chante et danse. Cette fillette semble si heureuse. Si légère. Tout son corps se soulève. Elle agite ses pieds dans l'air. Et elle retombe sans faire le moindre bruit. C'est une danse d'oiseau-mouche. Si belle. Si grande. Si merveilleuse. Avec autour de la petite fille, des couleurs qui dansent aussi.

Pourtant Frida n'entend aucune musique. Et en même temps, elle a

l'impression que le vent chuchote. Qu'il murmure. Qu'il souffle une suite de petits sons. Des sons comme ceux que feraient des chaussons de ballet qui patinent sur un plancher.

La petite fille s'arrête de danser. Elle avance en direction de Frida.

– Je suis. Je suis. Je suis, répète celle qui marche vers Frida.

Frida se rend compte que ce sont ces mots répétés les uns à la suite des autres qui faisaient la musique.

Je suis. Je suis. Je suis.

Ce sont les mêmes mots que Frida a écrits dans son cartable à dessin.

– Je suis Kahlo, dit doucement la petite fille avant de lui tendre la main.

– Moi, je suis Frida, dit Frida.

– Je sais, répond Kahlo. Viens, on va courir un peu.

Sans comprendre ce qui arrive, Frida glisse sa main dans celle de Kahlo. Toutes deux s'élèvent de quelques centimètres au-dessus du sol. Et elles se mettent à courir. À courir aussi légères que des fleurs de pommier.

LA MAISON DE KAHLO

La maison de Kahlo n'est pas une maison. Au bout du couloir, il n'y a pas de chambres. Pas de cuisine. Ni de salon. Pas de portes vitrées non plus. Ou d'escalier à monter.

Kahlo n'a pas de maison. Elle habite un grand espace. C'est un champ étrange. Avec des arbres. Pas beaucoup. Quelques-uns. Il y a des cordes attachées de l'un à l'autre. Et sur les cordes, des vêtements qui flottent dans le vent.

Il y a aussi des tas de choses empilées ça et là. Des objets abandonnés par des personnes qui seraient reparties sans les emporter. Il n'y a pas de fleurs. Mais il y a un ruisseau qui fait son chant de ruisseau. Et, toute seule, un peu à l'écart, une caravane toute ronde.

– C'est là que je dors, dit Kahlo à Frida. Enroulée dans une couverture de grand-mère. Mais je ne dors pas beaucoup. Ça m'ennuie. Je préfère danser.

– Toute seule ici...

C'est tout ce que Frida arrive à dire. Les mots ne viennent pas. Mais ce qu'elle veut vraiment dire c'est :

« Tu es toute seule ici. Comment tu fais pour ne pas avoir peur ? Et pour manger ? Et pour ne pas t'ennuyer de ton papa et de ta maman ? Comment tu fais pour ne pas pleurer ? Toute seule ici ? »

Kahlo éclate de rire. Très fort. Très très fort.

C'est un rire avec des étoiles dedans. Un rire bleu avec du vert. Et du rouge. Et du vent. Un rire qui chatouille l'eau du ruisseau. Les arbres. Les vêtements sur les cordes. Et même la caravane qui ouvre et ferme sa porte. Un rire qui tricote d'autres rires. Un rire qui fait ricaner Frida.

LE MONDE DE KAHLO

Le rire de Kahlo s'égare dans l'eau du ruisseau. Celui de Frida tombe comme un caillou. Les deux fillettes se regardent. Le visage de Frida est redevenu sérieux. Celui de Kahlo affiche toujours un sourire. C'est un sourire rond comme celui d'une lune qui attend le coucher de soleil. Un instant passe. Et puis deux. Quelques petits silences glissent entre les deux filles. Puis Kahlo reprend la parole.

– Il y a beaucoup d'autres personnes ici. Mais tu ne les vois pas.

Kahlo lève la main et pointe le doigt. Elle dit à Frida qu'à côté du gros arbre, il y a son frère, Diégo, qui apprend à devenir un artiste.

– C'est lui qui a peint le paysage. Et le ruisseau. Les arbres. Les cordes autour des arbres. Les vêtements qui flottent dans le vent. Et la caravane aussi, précise Kahlo.

Tout près de Diégo, se trouve son autre frère, Rivera. Lui, il dessine des images sur des murs qu'il a dans sa tête.

– Il peint des gens et des images de temps très anciens sur des murs qui se dressent partout autour de nous.

Frida regarde autour. Elle voit bien le paysage. Le ruisseau, les arbres et la caravane de Diégo. Mais elle n'arrive pas à voir les murs peints par Rivera.

Kahlo qui a deviné les pensées de Frida s'empresse d'ajouter :

– Aujourd'hui, Rivera n'a pas peint de murs. Il s'amuse à jouer dans la terre. Ses mains fouillent le sol avec une grande douceur. Rivera dit qu'ainsi il a l'impression de remuer un peu la vie. Il dit que c'est dans la terre qu'il trouve ses meilleures idées. Enterrées jadis.

Jadis est un mot que Frida ne connaît pas. Alors, comme elle fait chaque fois qu'un mot nouveau vient flatter ses oreilles, elle le répète. Et le répète.

– Jadis. Jadis. Jadis.

Kahlo sourit. Immédiatement, elle explique :

– Jadis, ça veut dire il y a très longtemps, avant nous, au début d'un temps que l'on n'a pas connu, nous les enfants et parfois eux aussi, les grands.

— C'est vraiment un joli mot, dit Frida. Dès que je rentrerai, je l'écrirai dans mon cartable, sur une nouvelle page.

Comme si elle n'avait pas entendu la remarque de Frida, Kahlo tend le doigt, pointe l'horizon et continue de parler de tous ces gens que Frida ne voit pas.

Plus loin, là bas, son père et ses oncles jouent de la guitare. À quelques pas, sa mère et sa tante Isa exécutent de vieilles danses dont plus personne ne se souvient. Sauf, bien entendu, la grand-mère de toutes les grands-mères. Une très vieille femme assise près du feu. Elle a l'air de dormir,

commente Kahlo, mais elle s'éveille chaque fois que les talons des souliers des danseuses ne frappent pas le sol comme elle leur a appris à le faire.

— Il y en a d'autres aussi. Beaucoup d'autres. Mais aujourd'hui, ils sont partis chanter et danser dans un autre coin de pays. La prochaine fois que tu viendras, je te les présenterai. Surtout Zénovia qui n'a que trois ans mais qui arrive déjà à marcher sur un fil sans tomber.

— Comme j'aimerais voir et entendre tout cela, dit Frida. Mais, mes yeux n'arrivent pas à voir ce que tu dis. Et mes oreilles n'arrivent pas à entendre cette musique et ces danses dont tu parles.

— Je sais, laisse tomber Kahlo. C'est parce que c'est ta première fois ici. La première fois, les yeux ne peuvent pas voir toutes les beautés. Et les oreilles, eh bien, les oreilles, grand-mère dit qu'il faut longtemps avant de les dépoussiérer de leurs vieux sons.

LES VIEUX SONS

Dans les oreilles de Frida, les vieux sons, ce sont les sons grinçants des roues de métal des chariots de l'hôpital. Ce sont les sons de vents furieux qui hurlent dans la tête des enfants malades. Des sons de nuit qui hantent le sommeil. Des pas d'étrangers qui vont et viennent autour des lits. Des mains qui touchent des objets de métal ou de porcelaine. Qui tirent sur les draps. Des clés dans des serrures. Des portières de voitures qui s'ouvrent et se referment. Des voix inconnues qui murmurent et chuchotent son nom. Les voix cassées de sa maman et de son papa qui avaient peur qu'elle ne se réveille pas.

Ce sont aussi des sons joyeux qui se sont perdus : ceux de ses bottines dans l'escalier et le couloir de la maison. Le claquement de ses paumes sur les portes fermées du long couloir alors qu'elle faisait une course de petit lièvre du désert andalou. Le rire de papa. Celui de maman. Le sien aussi. Et les chansons fredonnées par tous les trois, histoire de bien se rappeler la joie d'être ensemble pour le déjeuner.

« Un déjeuner, un avec des œufs tout bruns.

Deux déjeuners, deux pour les bedons heureux.

Trois déjeuners, trois pour un festin de rois. »

Deux larmes coulent sur les joues de Frida. Kahlo se rapproche. Du bout des doigts, elle cueille les petites gouttes.

– C'est une poussière qui fait pleurer tes yeux, chuchote Kahlo. C'est parce que Rivera a trop fouillé la terre. Ça arrive parfois quand il secoue ses mains.

Frida ne répond pas. Elle laisse couler les larmes que Kahlo s'empresse d'essuyer. Puis, les yeux de Frida plongent dans ceux de Kahlo. Une sensation monte en Frida. C'est une vague de tendresse infinie qui berce son cœur du dedans.

– Nous sommes amies pour la vie, dit Kahlo.

– Amies pour la vie, répète Frida, qui adore entendre ces mots.

– Viens, lance Kahlo. Il est temps maintenant de retourner chez toi.

Et sans attendre de réponse, Kahlo s'empare de la main de Frida. Un vent fou de désert andalou les enveloppe et les soulève. Toutes deux, légères, si légères, s'élèvent au-dessus du paysage dessiné par Diégo. Le vent tourne. Et les filles font la roue dans le vent. Elles tournoient. Sur le dos. Sur le ventre. Sur le côté. Frida se sent chatouillée de partout à la fois. Puis le vent fou se calme et voilà Frida et Kahlo à nouveau debout, à l'entrée du couloir.

LE RETOUR DE FRIDA

Frida sait qu'elle doit rentrer. Kahlo ne la retient pas. Frida hésite. Le couloir est sombre. Et ici, le soleil, le champ, le ruisseau, le vent et les arbres : tout est doux, lumineux et enchanté.

Kahlo regarde Frida. Pas un seul mot ne franchit ses lèvres. Mais Frida l'entend penser : « amies pour la vie ». Frida ne répond pas mais elle s'entend penser : « oui, amies pour la vie ».

Soudain, son cœur bondit comme un bébé lièvre excité. C'est le désir de rentrer qui sautille ainsi. Le désir de rentrer et de dessiner. D'écrire aussi les nouveaux mots de la journée dans son cahier.

Frida s'apprête à entrer dans le couloir.

— Attends...

Frida s'arrête. Elle se tourne pour faire face à Kahlo.

— Diégo dit que quand tu reviendras, il y aura des fleurs. Il dit qu'il va en dessiner tout plein. Juste pour toi.

— Dis à Diégo qu'il dessine vraiment très bien, répond Frida.

— Et Rivera dit qu'il t'a préparé une surprise dans le couloir.

— Tu crois que mes yeux pourront voir la surprise de Rivera ? s'inquiète Frida.

Kahlo ne répond pas tout de suite. Elle semble préoccupée. Mais voilà que son visage s'allume.

– Grand-mère vient de se réveiller. Elle dit que tes yeux sont prêts à voir d'autres beautés.

Frida se sent bien. Un grand calme a envahi son corps. Elle regarde Kahlo une dernière fois et murmure un tout petit merci, avec dedans, des sursauts de joie.

Sans peur, lentement, elle s'engage dans le long couloir sombre. Le long couloir a des allures de ruelle. De petites lueurs bleues guident ses pas. Frida avance et regarde de chaque côté. Les lueurs se multiplient et jettent un bel éclairage sur les murs.

Les images qui étaient là quand Frida a traversé la porte de buée, sont différentes maintenant. Les murs ont changé d'apparence. Ils ressemblent à des murs d'édifices. Sur ces murs, des paysans sont dessinés. Ils portent

sur leur dos de gros sacs de blé. Ils marchent pieds nus sur la terre. Une terre d'où s'élève une fine poussière.

Frida a peine à garder son souffle. Tout est si beau. Si grand. On dirait l'histoire vivante de tout un peuple qui marche à ses côtés.

Les lueurs bleues perdent de leur intensité. Elles faiblissent. Les images s'évanouissent peu à peu. Frida comprend qu'elle arrive tout près de la porte de buée.

Elle s'arrête et ferme les yeux. Elle respire l'air de ce couloir magique une dernière fois. Il lui semble bien sentir un lointain parfum de fleurs. Frida sourit. Elle sait, oui, elle sait que Diégo a dit vrai.

Frida ouvre les yeux. Elle est de retour dans sa chambre. À quelques centimètres de son nez : le carreau de la grande porte vitrée est tout propre. Il ne reste aucune trace de la buée ou de la petite porte qu'elle y avait tracée.

Frida se retourne. Elle fait le tour de sa chambre mais cette fois, elle a dans le cœur une joie immense. Beaucoup trop grande pour elle toute seule. Elle court chercher son cartable et ses craies à dessiner. Sans perdre un seul

instant, elle laisse ses mains courir sur
le blanc du papier.

Les nouvelles pages du journal de Frida

JE SUIS

Soudain la porte vitrée s'ouvre toute grande. Papa est là avec sa voix qui tonne et résonne :

– Mais où donc est ce petit lièvre du désert andalou que je cherche partout ?

Frida ricane. Elle adore ça quand son papa fait semblant de ne pas la voir. Qu'il met ses mains devant son corps. Qu'il marche à l'aveuglette en faisant comme si elle n'était pas déjà sous ses yeux.

Maman est juste derrière. Avec sa voix toute chantonnante, elle dit :

– Mademoiselle Frida, ne savez-vous donc pas que les demoiselles ne devraient pas dessiner avant d'avoir déjeuné ?

Frida referme son cartable. Elle sourit à maman. Elle sourit à papa qui vient de faire semblant de l'apercevoir à l'instant. Dans un grand mouvement, il pivote sur lui-même en disant :

– Un déjeuner, un avec des œufs tout bruns.

La maman de Frida continue la comptine :

– Deux déjeuners, deux pour des bedons heureux.

Et les deux parents amorcent leur sortie en répétant en chœur :

– Trois déjeuners, trois pour un...

Ils s'interrompent. Se retournent et observent Frida. Frida les regarde et elle dit :

– Je suis... je suis... je suis... affamée !

– Trois déjeuners, trois pour un festin de rois !

Le papa et la maman sortent de la chambre. Frida suit derrière un peu plus lentement avec sa jambe qui traîne sur le côté. Elle s'arrête et prend le temps de refermer la grande porte vitrée. Elle regarde un instant le carreau où elle avait dessiné la porte de buée. Elle ferme les yeux. Et pour elle toute seule, elle chuchote :

– Je suis, je suis, je suis...

Puis Frida s'éloigne en direction de la cuisine où papa et maman ont déjà commencé à casser des œufs pour le déjeuner.

Je suis. Je suis. Je suis.

Ce nouveau son de chausson patine doucement dans sa tête et dans ses oreilles de petit lièvre du désert andalou.

TABLE

À PROPOS DE FRIDA KAHLO

Frida Kahlo a vraiment existé. Elle est née en 1907 près de Mexico. Toute petite, elle a connu la maladie et la solitude. À l'âge de dix-huit ans, elle a été victime d'un tragique accident : l'autobus qui la ramenait de l'école est entré en collision fatale avec un tramway. Pendant de nombreux mois, elle sera alitée et incapable de se lever. Pour lui changer les idées, ses parents lui offrent du matériel pour peindre. Comme elle ne peut pas bouger, ils ont l'idée d'installer un miroir au-dessus de son lit. C'est ainsi que Frida commence à se dessiner et à se peindre en levant les yeux vers le miroir.

Adulte, elle deviendra une artiste-peintre très connue. Elle a peint d'innombrables tableaux. Elle a exposé et enseigné à de jeunes peintres.

Entre 1944 et 1954, elle crée une œuvre particulière : un journal personnel où dessins colorés, rêves, pensées, mots et poèmes couvrent plus de cent soixante-dix pages.

L'AUTEURE

Sylvie Nicolas s'est longtemps engagée dans le milieu théâtral. Depuis 1992, elle a publié plus d'une quinzaine d'ouvrages dont neuf pour la jeunesse et a illustré plusieurs livres. En 1998, elle méritait le premier prix du concours international La Porte des Poètes (Paris). En 1999, elle était en nomination pour un prix du Gouverneur général du Canada, avec *Célestine Motamo*. La même année, le Ministère des citoyens et de l'immigration lui décernait le premier prix (littérature) *Liberté, égalité et citoyenneté... au Québec*.

AUTRES OUVRAGES
DE SYLVIE NICOLAS

POUR ENFANTS

Dans le ventre du temps, Montréal, Héritage, 1995.

On a perdu la tête, Montréal, Héritage, 1996.

Billi Mouton, Montréal, Héritage, 1996.

Le beurre de Doudou, Montréal, Héritage, 1997.

Samu, Québec, Le Loup de Gouttière, 1997.

Au pays des Babouchka, Québec,
Le Loup de Gouttière, 1997.

Ne perds pas le fil Ariane, Montréal, Héritage, 1998.

Célestine Motamo, Montréal, Héritage, 1998.

ROMANS ET NOUVELLES

Les ailes inachevées du désordre, roman,
Québec, Le Loup de Gouttière, 1994.

Le visage des cendres, roman, Québec,
Le Loup de Gouttière, 1995.

L'amour sauce tomate, nouvelles, Québec,
Le Loup de Gouttière, 1996.

ESSAI

Autour de Okia, Le premier regard, Québec,
Le Loup de Gouttière, 1998.

POÉSIE

Cette main qui enquête, Trois-Rivières,
Écrits des Forges, 1994.

Par les ongles, retenue, Trois-Rivières,
Écrits des Forges, 1997.

Anastasie ou la mémoire des forêts, Québec,
Le Loup de Gouttière, 1999.

DANS CETTE COLLECTION

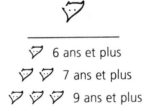

▽ 6 ans et plus

▽ ▽ 7 ans et plus

▽ ▽ ▽ 9 ans et plus

Achevé d'imprimer
en avril 2000 sur les presses
de Veilleux impression à demande inc.
de Longueuil.